Disney · PIXAR
LE BON DINOSAURE

Il y a très longtemps de cela, vivaient deux dinosaures nommés Henry et Ida. Ils habitaient dans une ferme avec leurs trois enfants, Buck, Libby et Arlo.

Arlo était le plus petit et le plus craintif des trois. Un rien l'effrayait ! Mais ce qui le terrorisait par-dessus tout, c'était la nature sauvage qui entourait la ferme.

Une nuit, Henry emmena Arlo dans un champ. Tout à coup, un insecte se posa sur le bout du nez d'Arlo. Il était terrifié ! Papa souffla délicatement sur l'insecte, et celui-ci se mit à briller…

Papa balaya ensuite l'herbe avec sa queue, et des centaines de lucioles s'envolèrent vers le ciel. Arlo en resta sans voix.

Le lendemain, Papa découvrit qu'une bestiole mangeait leur récolte de maïs.

—Tu vas nous en débarrasser, dit-il à Arlo.

Arlo avait peur, mais il voulait que son père soit fier de lui ! Alors qu'il montait la garde devant le silo, quelque chose remua dans son piège ! Mais Arlo fut incapable d'assommer la créature, et il la laissa s'en aller.

Papa était furieux ! Il voulait apprendre à son fils à surmonter
ses peurs et l'emmena au cœur de la nature sauvage pour retrouver
le voleur. Mais une tempête se déchaîna, et la rivière en crue
emporta Papa. Arlo était dévasté !

Sans Papa, la famille avait beaucoup de mal à terminer la récolte
avant l'hiver. Malgré son chagrin, Arlo faisait de son mieux
et travaillait dur à la ferme.

Un jour, Arlo surprit la bestiole en train de voler du maïs à nouveau. Il la poursuivit, et alors qu'ils se battaient, ils tombèrent dans le torrent. Arlo luttait et criait, mais il fut emporté par le courant. Sa tête heurta une roche, et tout devint noir.

Lorsqu'Arlo reprit connaissance, il était complètement perdu. Soudain, il entendit un hurlement… La petite créature se tenait au sommet de la falaise !

—Toi ! hurla Arlo. Tout ça, c'est ta faute !

Furieux, il escalada la paroi pour attraper la bestiole.

La créature était partie, et le jeune apatosaure se retrouva seul.
Arlo avait peur, il avait faim, et il était très fatigué.

De grosses gouttes de pluie s'abattirent soudain. Arlo construisit un abri de fortune avec des branches, et se roula en boule. Alors qu'il essayait de s'endormir, il entendit un bruit dans les buissons ! Les craquements semblaient se rapprocher !

Le lendemain, Arlo réalisa que c'était… la petite bestiole !
Elle lui avait apporté des baies. C'est ainsi que le timide apatosaure
et la créature devinrent amis. Arlo la baptisa Spot.

Spot ne pouvait pas parler, mais à mesure que le temps passait, les deux compagnons trouvèrent un moyen de communiquer. Arlo découvrit alors que Spot avait perdu sa famille, tout comme lui avait perdu son papa.

Quelques jours plus tard, Arlo et Spot rencontrèrent une famille de tyrannosaures : Butch, Ramsey et Nash. Ils avaient perdu leur troupeau ! Arlo proposa de les aider si, en échange, ces derniers lui indiquaient la route pour rentrer chez lui. Butch accepta, et Spot se mit à la recherche du bétail.

Une mauvaise surprise les attendait… des voleurs de bétail !
Les affreux raptors n'allaient pas abandonner le troupeau sans se battre !
Arlo prit son courage à deux mains et rejoignit ses nouveaux amis
dans la bagarre.

Une fois les voleurs en fuite, Butch dit à Arlo :

—T'es un vrai petit dur !

Comme ils l'avaient promis, les tyrannosaures aidèrent Arlo et Spot à retrouver leur chemin. C'est ainsi que le duo poursuivit sa route.

Spot grimpa sur la tête d'Arlo et pointa le ciel. Les deux amis regardèrent par-dessus les nuages et admirèrent alors un magnifique coucher de soleil…

Tandis qu'Arlo et Spot cheminaient à travers la montagne, une tempête se formait…

Soudain, un groupe de ptérodactyles apparut et fondit sur les deux amis. L'un d'eux saisit Spot et l'emporta au loin !

Arlo les poursuivit et retrouva finalement Spot. Il était piégé au milieu de la rivière ! Arlo trouva au fond de son cœur le courage pour attaquer les ptérodactyles et sauver son ami ! Il parvint à faire fuir ses ennemis après une lutte acharnée.

La tempête faisait rage, et le niveau de l'eau montait rapidement.
Soudain, la terre se mit à trembler, un gigantesque torrent arrivait
à toute allure… Arlo bondit pour secourir Spot !

Arlo luttait de toutes ses forces contre le courant. Au bord du précipice, il attrapa Spot. Les deux amis se cramponnèrent l'un à l'autre et firent une incroyable chute dans la rivière en contrebas.

Arlo regagna la berge, tenant Spot tout contre lui. Ils étaient sains et saufs !

Arlo et Spot reprirent leur route, une fois de plus. Tout à coup, ils entendirent un hurlement derrière la colline, et une famille d'humains apparut. Le jeune apatosaure savait ce qu'il devait faire.

Même s'il ne voulait pas perdre Spot, il le laissa partir. Les deux amis s'étreignirent une dernière fois avant de se séparer.

Arlo continua seul son chemin et peu de temps après, il aperçut quelque chose qui le rendit fou de joie : la ferme ! Sa famille accourut pour l'accueillir…

Arlo était enfin de retour à la maison !